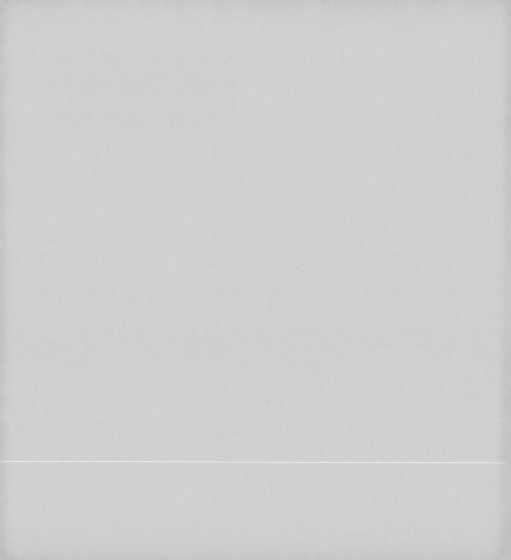

キリンのリンリン へんし〜ん!!

「ぼく　キリンがらに
あきちゃったなぁ」

タナカ＊アイコ

「ちがう　がらに　なりたい！！」

たとえば　シマウマさんから　だったら　どうかな？
へんしーん！！

「はやりの　がらっ
かんじだなぁ・・・・」

たとえば　パンダさんがら　だったら　どうかな？
へんしーん！！

「ウシさん　みたいだなぁ・・・・」

たとえば　チーターさんがら　だったら　どうかな？
へんしーん！！

「イケイケな
かんじだなぁ・・・・」

たとえば　ワニさんがら　だったら　どうかな？
へんしーん！！

「カエルさんに
なっちゃった・・・・」

たとえば　ネコさんがら　だったら　どうかな？
へんしーん！！

「わるくは　ないなぁ・・・・

たとえば　イヌさんがら　だったら　どうかな？

へんしーん！！

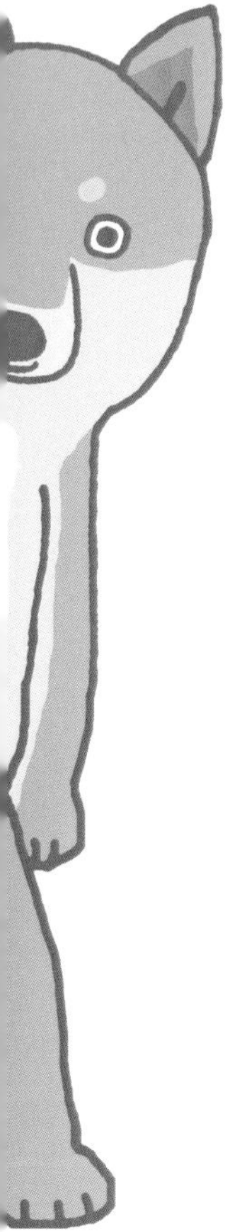

「シカさん　みたいだなぁ・・・・」

たとえば　バクさんがら　だったら　どうかな？
へんしーん！！

「しろと　くろで
さみしいなぁ・・・・」

たとえば　イノシシさんがら　だったら　どうかな？
へんしーん！！

「もっと　はでな　かんじが　いいなぁ・・・・」

たとえば　トリさんがら　だったら　どうかな？
へんしーん！！

「はですぎるよ～」

「う～ん・・・・　ぼくには
キリンがら　いがいで
どんな　がらが
にあうんだろう？」

「リンリン　おやつの
ホットケーキよ～
あら　どうかしたの？」

「おかあさん　ぼくには
キリンがら　いがいで
どんな　がらが
にあうと　おもう？」

「キリンがらには　いみが　あってね
おかあさんは　おじいちゃんと　おばあちゃんの
こどもだから　キリンがら　なのよ」

リンリンが　おとうさんや　おかあさん　おじいちゃんや
おばあちゃん　ひいおじいちゃんや　ひいおばあちゃん
もっと　まえの　ごせんぞさまたちと　つながっている
しょうこでも　あるの」

キリンがらは　おとうさんや　おかあさん　おじいちゃん
おばあちゃん　ひいおじいちゃんや　ひいおばあちゃ
もっと　まえの　ごせんぞさまたちと　おなじがら・・・・

っと　ぼくには　キリンがら　なんだ！！！

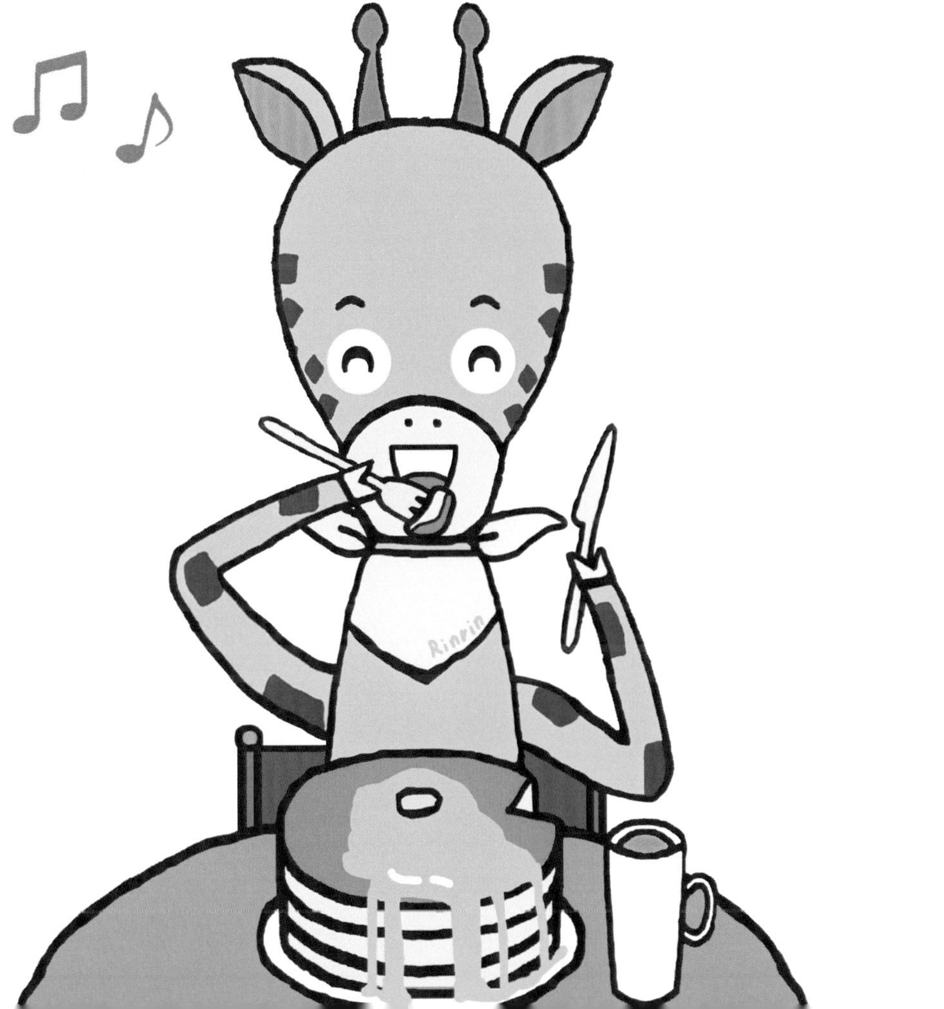

著者紹介

1976年大阪府生まれ。セツ・モードセミナー卒業。文具メーカーのイラストレーター兼デザイナーを経てフリーのイラストレーターに。
著作に『ラブちゃんのすてきなびようしつ』（三恵社）、その他に『敬語美人になる！』（著・井上明美氏／講談社）のイラストなども担当している。

著者ホームページ
https://aiko-tanaka.com/

キリンのリンリン　へんし～ん！！

2023年　4月 26日　初 版 第 1 刷　発行

著　タナカ＊アイコ

発　行　株式会社 三恵社
所在地：〒 462-0056　愛知県名古屋市北区中丸町 2-24-
TEL：052-915-5211　**FAX**：052-915-5019
URL：www.sankeisha.com　**e-mail**：info@sankeisha.com

ISBN978-4-86693-777-9 C8793 ¥1550E